Me gusta

Constanze von Kitzing

MUNDO
MOSAICO

Me gustan los coches.

Me gusta estar descalzo.

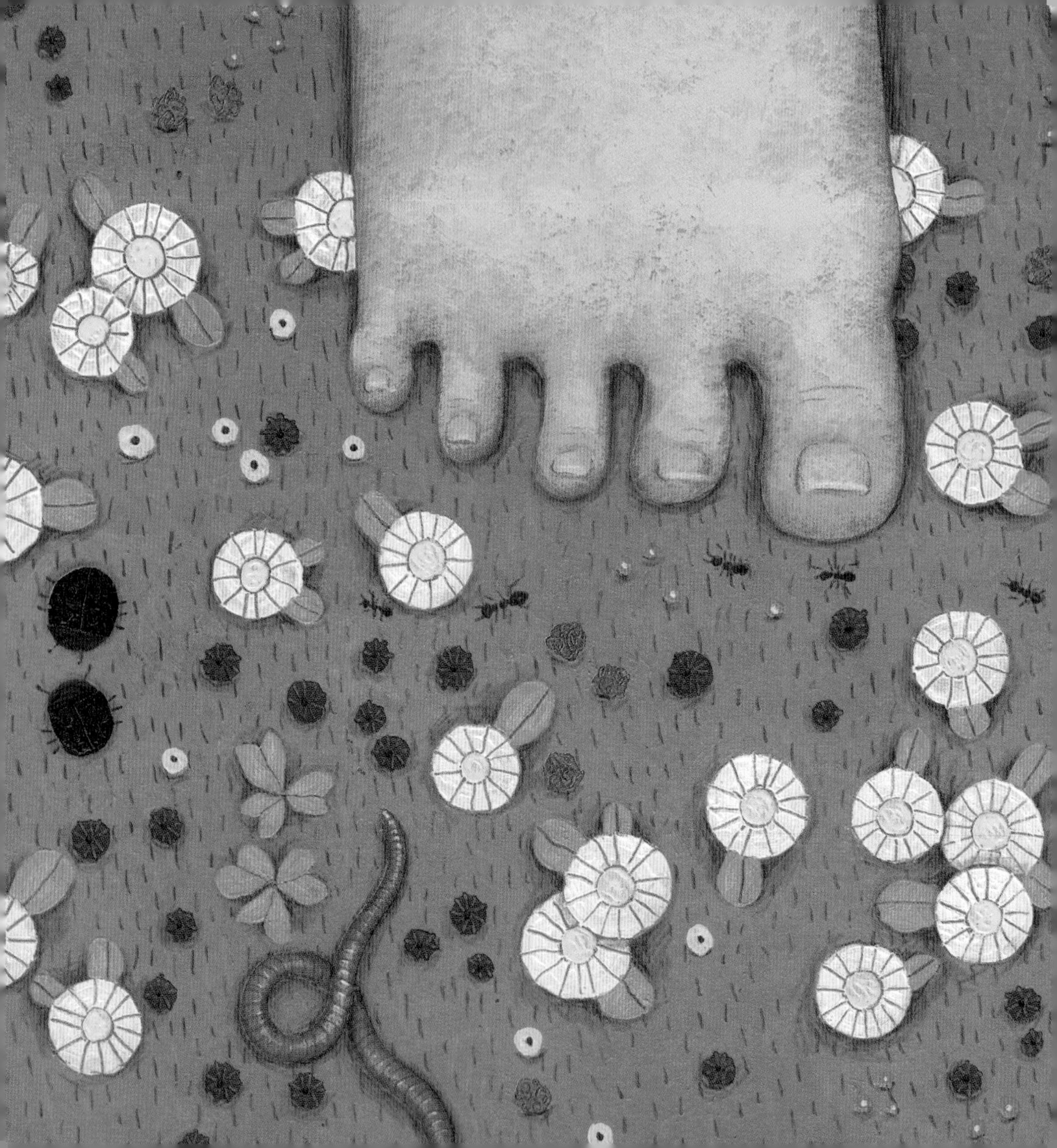

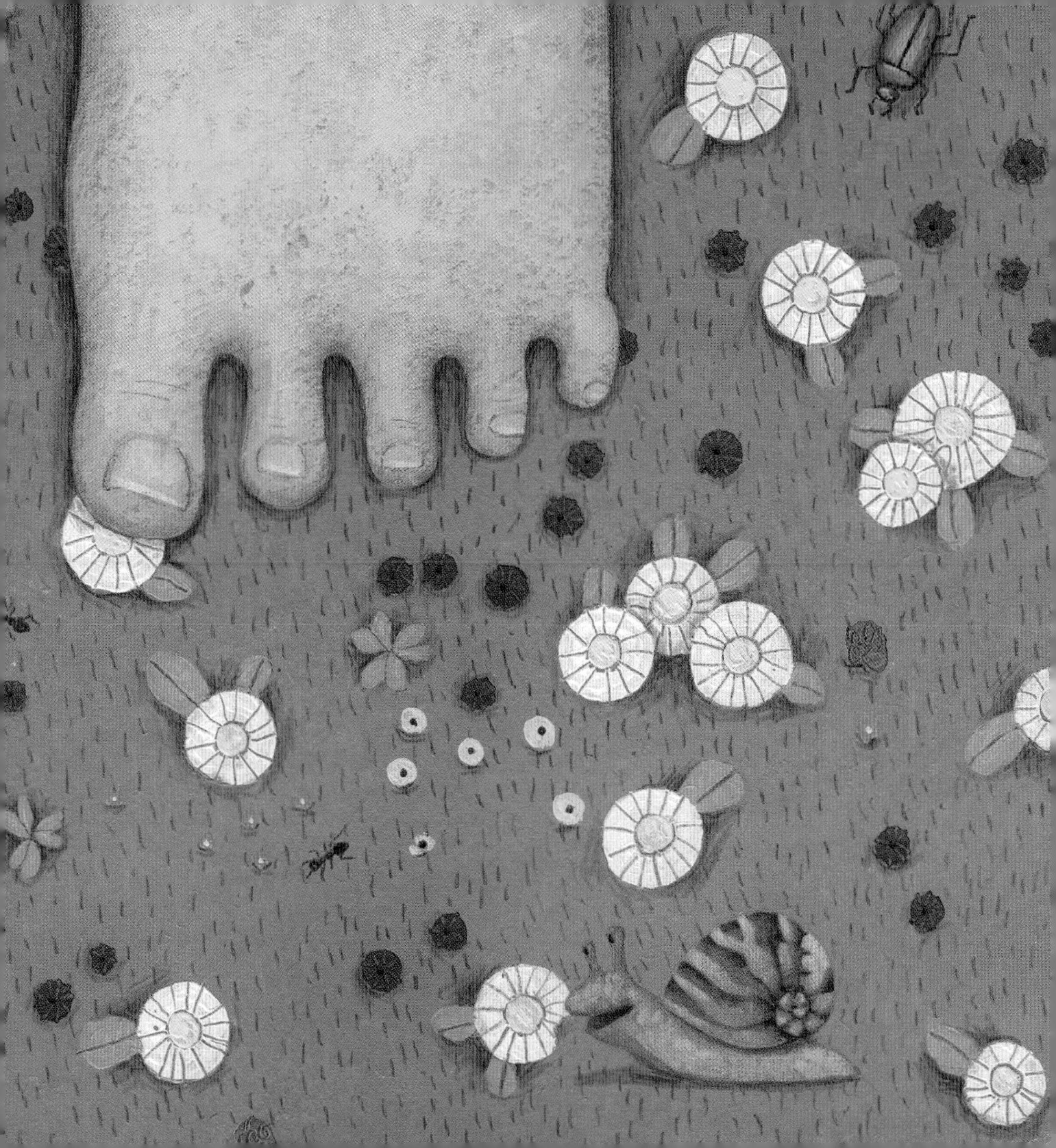

Me gusta
la lluvia.

Me gusta el verde.

Me gustan las estrellas.

Me gusta pensar.

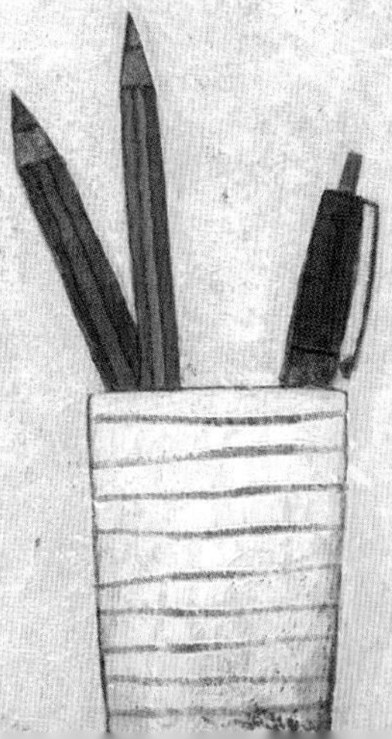

Me gusta la música.

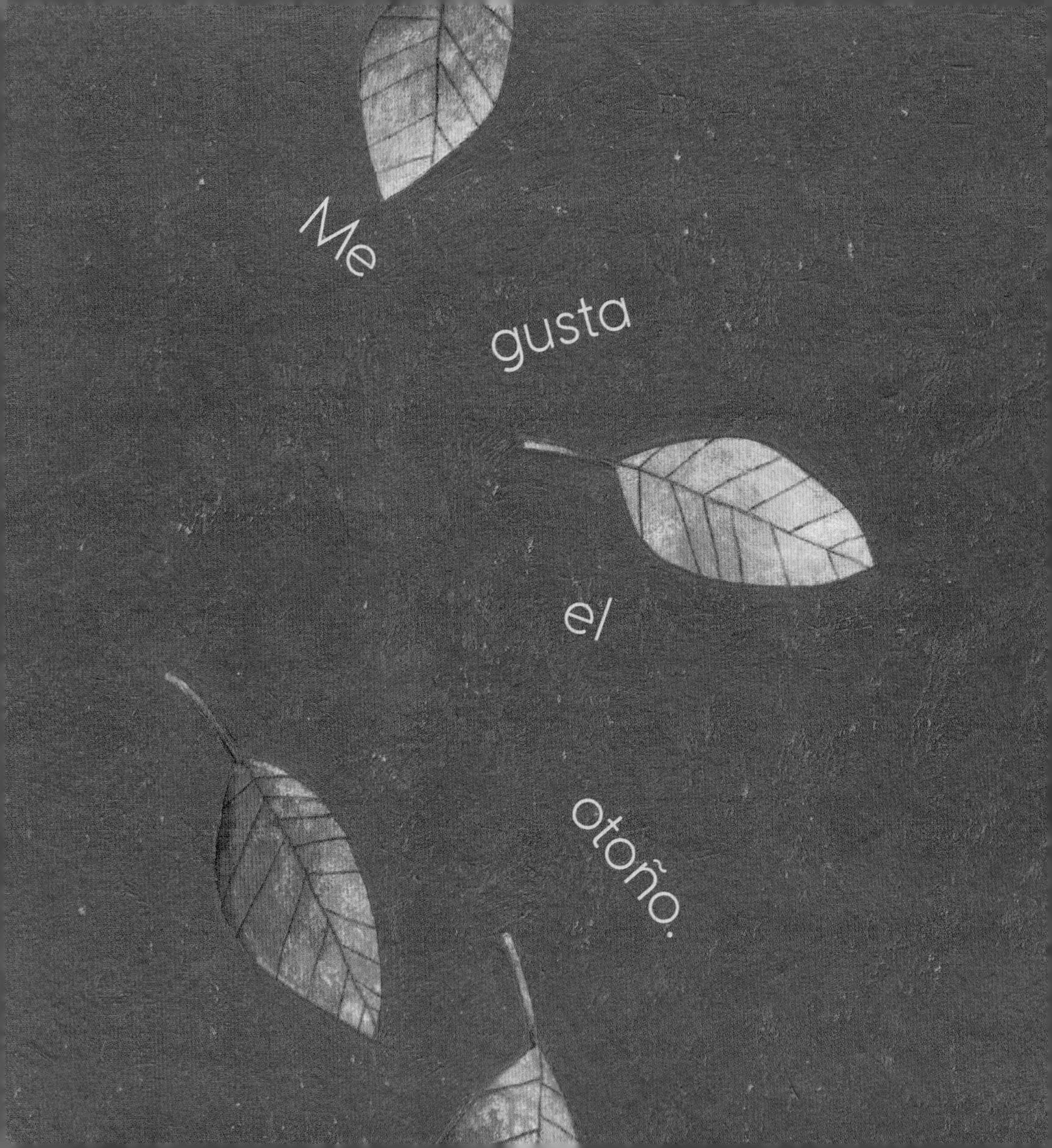
Me
gusta
el
otoño.

Me gusta
el *espagueti.*

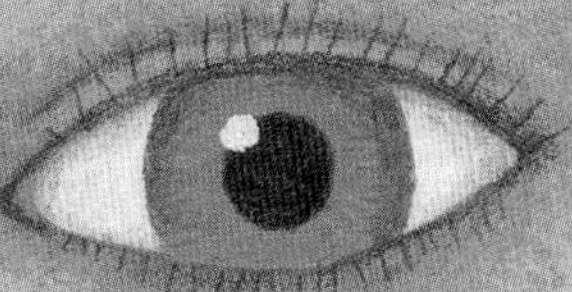

Me gustan
las cosas
pequeñas.

Me gusta el agua.

Me gustan los árboles.

Me gustan los libros.

carpe diem

Me gusta el futbol

Me gusta hornear.

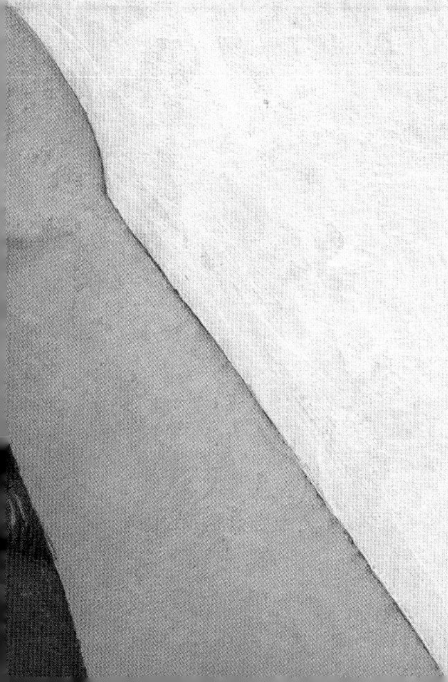

Me gustan los monstruos.

Me gustan las construcciones.

Me gusta dormir.

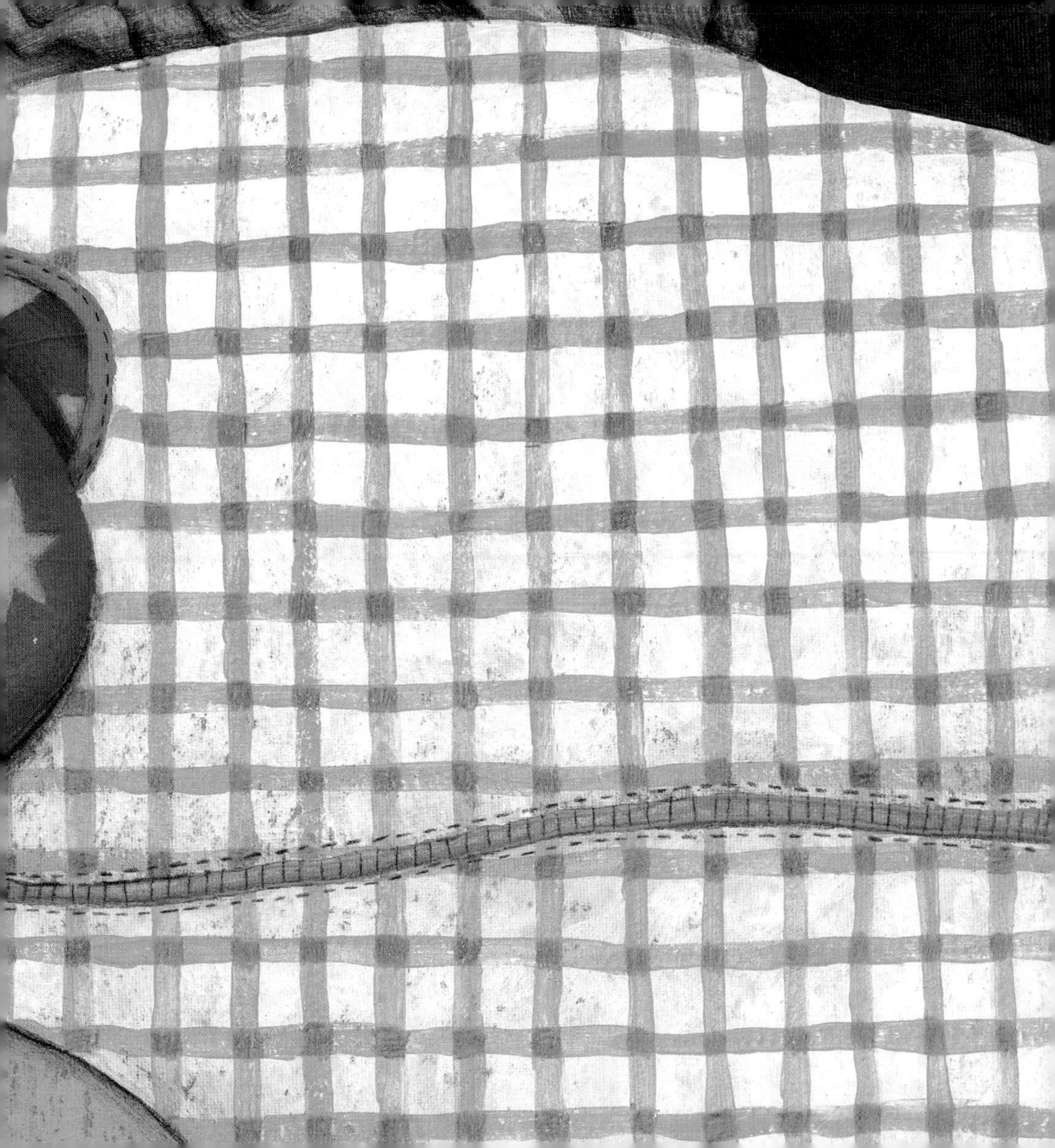

Me gustan las nubes.

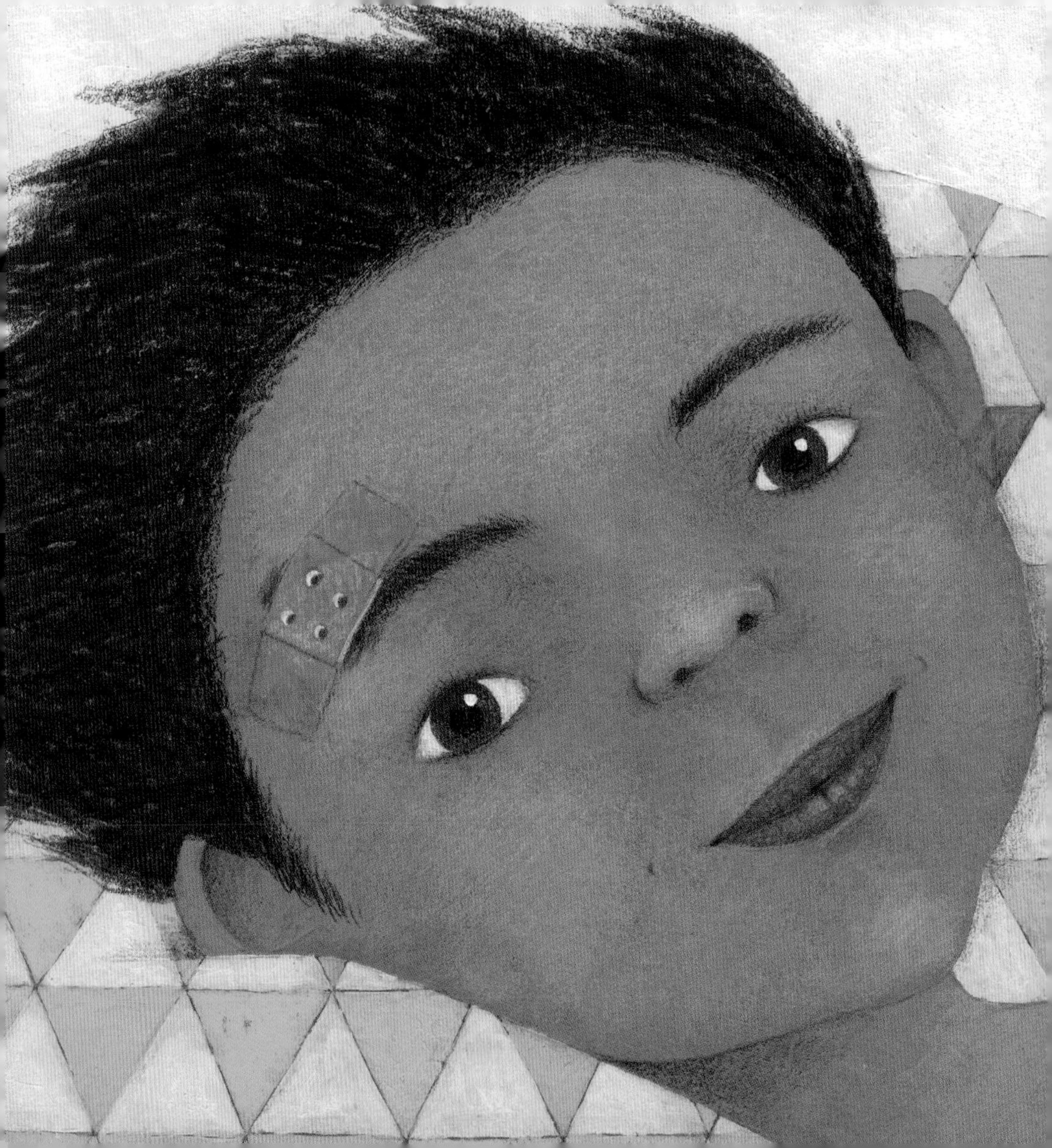

Me gustan mis amigos.

Me gusta la nieve.

Me
gustan
las casas.

Me gustan las flores.

¿Y a ti qué te gusta?

Coordinación de la colección: Mariana Mendía
Cuidado de la edición: Carla Hinojosa Guerrero
Formación y diseño de forros: Javier Morales Soto
Traducción: Mariana Mendía

Me gusta

Título original en alemán: *Ich mag... Schaukeln, malen, fussball, krach*

De Constanze von Kitzing

Publicado por acuerdo con Ute Körner Literary Agent, Barcelona
www.uklitag.com

Primera edición: noviembre de 2016

Insurgentes Sur 1886. Col. Florida.
Del. Álvaro Obregón.
C. P. 01030, México, D. F.

Ediciones Castillo forma parte del Grupo Macmillan.

www.grupomacmillan.com
www.edicionescastillo.com
infocastillo@grupomacmillan.com
Lada sin costo: 01 800 536 1777

Miembro de la Cámara Nacional de la Industria Editorial Mexicana.
Registro núm. 3304

ISBN: 978-607-621-640-8

Impreso en México / *Printed in Mexico*

Para Lua + Sam

Impreso en los talleres de
Editorial Impresora Apolo S. A. de C. V.
Centeno, 150-6. Col. Granjas Esmeralda.
Del. Iztapalapa. C. P. 09810, México D. F.
Noviembre de 2016.